Nゲージファインマニュアル 13

リアルシーナリィの工作

大 久 保 友 則

↑樹木が茂る切り立った崖とその下で国道に合流する旧道。国道に沿って流れる川には堰が表現されている（拡張ブロックC）

JN090834

ＳＨＩＮ企画

↑手前に拡張ブロックBを接続して眺めた「星ノ森鉄道比美津線」。レイアウト本体を走る列車の姿もゆったりとしたものに感じられる

本書では各種のレイアウト製作に当って参考にしていただける
シーナリィの工作，そして関連するストラクチャー類の工作につ
いて解説することにしました。その作例を展開させたのはシーナ
リィセクションふうにまとめた3台のブロックで，以前に製作し
たレイアウトの横へのセットを目的にしたもの。これらはレイア
ウト本体と自然な感じにつながる風景にしていますが，それぞれ
にはテーマに差がある情景もいくつか盛り込んでいます。いずれ
も典型的な日本のローカル風景と言えるもので，シーナリィ表現
の基本とも言える地表，樹木や草地，道路や水まわりなどの工作
についてはもちろん共通。その内容や順序，使用材料については
作例に基づいた解説にしていますが，シーナリィの工作は本来自
由度が極めて高いものだけに，それらの組合わせなどで，よりリ
アルなシーナリィへの発展を考えてみてはどうでしょうか。

目　次

「星ノ森鉄道比美津線」を走る列車たち

↓さまざまな列車を運転するために架線柱や架線は着脱式に製作。光線の具合によっては架線が光って魅力的なシーンが展開する

←1200×750mmという本体サイズながら、3方向に拡張ブロックをセットすることで、1810×910mmという大きさまで拡大する「星ノ森鉄道比美津線」。分割式レイアウトとは異なり、運転条件に合わせて1台、あるいは2台だけ…といったセット方法を選べるのも面白いところと言えよう。この拡張ブロックはシーナリィの展開スペースだけでなく、地形的に立体化した背景板の役割も果たしており、その後方に遠景写真を掲げれば、レイアウトの奥行感はさらに増すのではないだろうか。

国鉄やJRの列車だけでなく、このレイアウトに似合うのが地方私鉄の電車や気動車の短編成。交換駅の有効長はこのように20級車輌3輌分程度だが、カーブポイントの使用で線路長に余裕があり、列車の停止シーンが自然に感じられる。↓

photos : Ryu.Sasaki

拡張ブロック上には街路灯を中心にさまざまな照明装置が設けられており，レイアウト本体のものと同様にすべてに電飾化が行なわれている。ここは拡張ブロックCの県道と旧道が合流するあたり。横の線路を室内灯を輝かせたキハ58系が通過中だが，街路灯によって樹木の影が旧道に映る様子や反射する川面の様子も，ナイトシーンの主人公と言えるのではないだろうか。

拡張ブロックと盛り込むシーン

拡張ブロックの追加

　「星ノ森鉄道比美津線」はイベントでの展示運転も目的にしたもので，本体を1200×750㎜という，持ち運びがしやすいような大きさで製作。トミックスのファイントラックを敷設した単線エンドレスに，カーブポイントで分岐する交換駅を組込んだ，小型レイアウトに類例も多く見かける線路配置となっています。

　ただ，本線を少しでも長く…，曲

↑レイアウト本体（上）とその横に拡張ブロックAをセットした様子（下）を比較。取り囲む景色が拡がることによって，台枠の端に位置していた駅も山の中にあることが強調され，着発する列車を眺めたり撮影するアングルも自由に選べるようになった。↓

拡張ブロックAをセットした駅の様子。このブロックは両端部を除いて傾斜が強い地形にしてあり，150㎜という幅寸法に対して地形の最頂部は下端から150㎜，樹木の最頂部は270㎜にもなっている。

線半径を少しでも緩く…,駅の有効長を少しでも長く…と考えると,線路はどうしてもレイアウトの端に沿う形に敷設されることになり,その外側には情景用のスペースをあまり得ることができません。

これは小型レイアウトの宿命とも言えることなのですが,近年は撮影した列車の走行シーンをSNSや動画サイトに投稿することも多くなり,そうすると,情景に包まれて走る列車を撮影したい…とか,もっと自由度の高い撮影アングルが欲しい…という気持ちがより強くなってきます。

そこで作ってみたのが今回の拡張ブロック。持ち運びや収納がしやすい大きさながら,「星ノ森鉄道 比美津線」(以下,本体)の横にセットすることで連続した情景が得られることになります。プランニングに当っても,低いアングルからの撮影時に遠くの情景まで写り込むことを目的に,「立体化した背景板」といったものを目指しました。この拡張ブロックを加えた時の大きさは1810×910㎜。考えかたをかえれば,分割構造で作った合板1枚サイズのレイアウトと言えるのかも知れません。

ブロックのテーマほか

■ブロックA(サイズ:1200×150㎜)

本体のいちばん奥の,交換駅のすぐ横に接続して景色がその先まで続いているように見せるブロック。全体的に木々や雑草に覆われた風景にしてありますが,ホームに面したあたりでは地層を少し見せるなどして,全体が単調な風景にならないようなものを目指しました。

片側は駅をオーバークロスする道路橋付近からの切通し地形を延ばしてあり,橋を渡ってきた道路の先に

拡張ブロックA

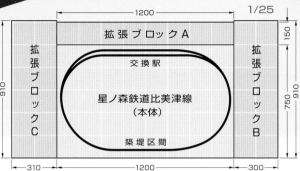

	1200	1/25
拡張ブロックC	拡張ブロックA	拡張ブロックB
	交換駅	
	星ノ森鉄道比美津線（本体）	
	築堤区間	

910 / 150 / 910 / 750

310 / 1200 / 300

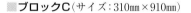

拡張ブロックC

りの地形を利用して，台枠の内部にはパワーパックの収納スペースを確保しておきました。

■ブロックB（サイズ：300×910mm）

本体の右側に接続するブロックで，当初は本体やブロックAの右端まで拡がる貯水池の製作を予定していましたが，水際の表現が接続する3面に渡るときれいな仕上げに苦労しそうです。そこで，鉄道の近くにはないもののようですが，砂防ダムを配置。ここからブロックA側に向かう高低差がある流れがあるので，台枠部分の穴からその様子を眺めることができるギミックも加えました。

本体の築堤曲線区間に近い手前側には，トンネルから出て緩くカーブする県道が延びており，さらにこの県道から分かれた砂利道が古いコンクリート橋で小さな小川を渡る風景など，何処かで見たことがあるような風景を仕込んでみました。

は，砂利敷きの小さな駐車場を配置。駅を見下ろすこの場所は着発する列車の恰好の撮影ポジションにもなっています。また，背が高いこのあた

■ブロックC（サイズ：310mm×910mm）

本体の左側に接続する，いちばん面積が広いブロックです。当初の予定では，レイアウト本体の切通し部分からも見える，近年に販売された建売住宅地にするつもりでしたが，月日が経ってほかのブロックの製作が進むと，もう少し長閑な山間部の風景を作りたくなってきました。

そこで山深い景色に…と，こちらも計画を変更。本体の地形に合わせて無理のない傾斜や地形関係に仕立てることにして，うっそうとした樹木の下を道路や川が続く景色を主要なテーマにすることにしました。

国道にした道路の手前部分には旧道との合流点を設け，途中には廃道となった旧道を，さらに奥のほうには交互通行標識や信号があるトンネルを表現。川の水面や水草類も場所によって表情に差をつけたほか，道路橋の近くには魚道と水門を持ち，勢い良く流れ落ちる水の音が聞こえてきそうな堰を設けています。

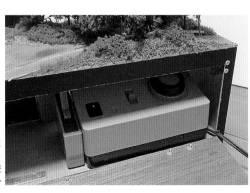

←レイアウト本体に拡張ブロックAとBを組合わせている様子。通常の分割式レイアウトのような線路の接続作業が不要なために，横にセットするだけで運転をすぐにスタートさせることができる。

拡張ブロックAの台枠内部に収めたパワーパック。運転をしない時には手前に見える蓋で覆うようになっている。→

拡張ブロックB

使用材料について

■台枠

台枠はいずれも自作しています。角材と合板については購入時にホームセンターで必要サイズにカットしてもらっていますが，先に図を描いてしっかりと検討。当然ながら本体など，ほかのレイアウトやモジュールの製作で余った材料もできるだけ活用するようにしています。

台枠の骨組には24mm角のラワン材を，天板や稜線状の台枠面にする合板には3mm厚の材料を使用しており，表面側となる側面のものには，塗装の手間を省くために材料段階から塗装されている化粧合板を選びました。組立には釘のほかに金属製の金具なども併用して剛性を高めましたが，これはもちろん運搬用に軽量化を狙ったものということになります。

■地形の芯材と地表

地形の芯材には住宅用断熱材のスタイロフォーム板を多用しています。これは近年のレイアウト製作では一般的と言える材料で，私は主に20mm厚，あるいは30mm厚のものを使用。ホームセンターで畳1枚分サイズのものを購入し，その場で自動車に載る大きさにカットしています。20mm

以下の高さ調整やスタイロフォーム間の隙間を埋めるのには，安価なスチレンボード（3mm，5mm，10mm厚）のほか，コスプレイヤーなどが鎧などの製作で使うリアラボード（ネットショップで購入）を使用しています。

スタイロフォームのカットや整形にはもちろんカッターナイフを使っていますが，私はこの工作にオルファ社の黒刃を多用。切れ味の良さからお勧めの工具と言えます。

地形の芯材にスタイロフォームを使う場合には，一般的に接着しておいて整形…，あるいは整形が済んだ段階に接着…といった工作順序が多数派と思われますが，私が完全に固定するのは配線の処理や線路の敷設を済ませた段階にしています。工作途中には地形のバランスを確認するために着脱を繰り返すので，仮置き状態にしていることも少なくありません。このような作業順序を採っているので，本文の各拡張ブロックの工作途中の様子は，解説内容といくらか前後している場合があることを最初にお断りしておきます。

大まかな地形の製作を終えたら，その表面に紙粘土を塗り付けます。その後に塗装するなら白色のものでも構わないのですが，私は100円シ

ョップ（ダイソー）で売っている色つき軽量粘土の黒色を使用。実際には焦げ茶色に近いもので，指先を水に濡らして整形するとヒビ割れが少なくなり，より自然な色合いになって着色の手間も省けます。

■植物系

樹木や草などの工作内容はどの拡張ブロックでも基本的にかわりません。オランダドライフラワーを使った単体の樹木については本文のほうにまとめることにして，ここにはそのほかの主な使用素材だけを掲げておきます。これらには100円ショップの商品も含まれており，同様のものを異なるメーカーが製品化している場合もありますが，ここでは私が使用したものの購入先と商品名を表記。わかりやすさを優先したためで，各拡張ブロックの解説のほうでも同様の扱いとしています。

・フォーリッジクラスター
　　　　　（暗緑色・緑色・明緑色）
・フォーリッジ
　　　　　（暗緑色・緑色・明緑色）
・コースターフ
　　　　　（暗緑色・緑色・明緑色）
・フィールドグラス（明緑色）
・NOCH 07404
　　　　　（情景マットブッシュ）

・BUSCH GRASFASERN 7111
（フィールドグラス）
・ミニネイチャー717-21
小さな草むら
・オランダドライフラワー
（スーパーツリー）
・ダイソー 装飾グリーンモス
・セリア ナチュラルモスマット
・ダイソー ハロウィン小物
・パウダー各色

■**水面系・道路系**
・リアリスティックウォーター
・UVレジン
・リキテックス ジェルメディウム
・テグス（φ0.5）
・天然石
・モーリン Rストーン（各種）
・会津バラスト（S）
・耐水ペーパー（#180〜#600）
・コスプレボード（5〜10mm厚）

■**塗料・ストラクチャー・電飾部品**

　塗料は主にタミヤのアクリル塗料を使用しており，ウェザリングの一部にもやはりタミヤのエナメル塗料を使っています。

　ストラクチャー類は既製品を使ったもののほか，フルスクラッチしたものもあり，これらは状況に相応しいものを用意して配置。電飾に使うLEDなどのパーツはウェブショップのあるマイクラフト製のものです。コストはかかりますが，抵抗計算やハンダ付けが不要なので楽にLEDを仕込むことができました。

■**そのほか**

　レイアウトの建設に当っては，実際の工作に入る前にしっかりとしたイメージ作りをしておくことが大切と考えています。本体の製作のほうでも同じ手順を採っていましたが，私は作り始める前に描くのが表現したい情景のスケッチ。また，撮りためておいた風景写真，専門誌やネット検索で集めた鉄道情景写真などを参考に，いつでも表現したい情景のイメージを浮かべることができるようにしておきます。製作途中に地形の変更をした場合などにも，この資料集めをしっかりしておくと迷うようなことも少なくなります。

レイアウト本体について

　「星ノ森鉄道比美津線」の本体は前述のように1200×750mmという，一般的には小型レイアウトに分類されるようなサイズのもの。今回の拡張ブロックの製作でボード上に表現される世界は大きく拡がり，ゆったりとした景色の中を列車が走る様子が実現することになりました。

　その拡張ブロックには線路が敷設されていないので，当然ながら列車の運転自体は本体だけの場合とかわりません。鉄道模型イベントの際などには，使用ブースに合わせて一部の拡張ブロックだけを…といった使いかたも可能になるわけです。簡単

なことではないはずですが，将来に拡張工事を予定している場合には，展開次第で不自然に感じられるようなシーナリィの配分は避けておくほうが良いのかも知れません。

　このレイアウトは中央部分を小高

走するようなシーンも実現。2列車の交互運用用に自動運転システムも取り入れていますが，運転内容がシンプルなだけに，ほかにも動きがある世界を目指してみました。

　シーナリィの工作内容や使用材料などは，本書にまとめた拡張ブロックのものと基本的にかわらず，色合いなどを揃えるためにはもちろん後から製作した拡張ブロックのほうで調整。接続部分の地形も既存側を優先していますが，一部ではより自然なつながりを求めて本体のほうの地形を改修したり，拡張ブロックとのバランスから樹木を植え加えたりしたところもあります。

　以下，各拡張ブロックに表現したシーナリィや関連ストラクチャーの工作内容を紹介していきますが，ここで先にご覧いただくことにしたのは本体レイアウトの様子です。このレイアウトについては既刊の「Nゲージファインマニュアル3 小型レイアウト4台」に，「典型的な日本の地

い地形にして樹木を集め，駅がある側と築堤が続く側をイメージ面で分断。全体の風景としては，日本のローカル風景と聞いて誰もが頭に浮かべるような景色を狙ったつもりで，駅側には対向式ホームと木造の小さな駅舎，駅を跨ぐ道路橋といったものを，築堤側の線路には短いデッキガーダー橋を，近くに火の見櫓があ

る公園や神社，貯水池やその水門，さらに土建会社の資材置場といったものを配してあります。

　また，小高い地形に沿って線路の内側を走る道路はエンドレス構成にしてあり，そこにはバス自動走行システムも組込んであります。そのために，駅前で一旦停車をしたバスが時間を置いて発車したり，列車と併

方路線レイアウト」としてまとめて
あり，内容の解説が重なるところも
ありますが，お持ちの方はぜひもう
一度，そちらに目を通していただき
たいと考えています。

photos：Ryu.Sasaki

拡張ブロックAのシーナリィ

●交換駅のすぐ横に設置する拡張ブロック。中央付近は後方を高くした丘状地形で，樹木をたくさん並べた構成だが，そこを挟む形に道路橋から延びる小道と，砂防ダムから続く流れを表現するなど，幅150mmというサイズの中に，隣り合う本体や拡張ブロックと自然に結ぶ景色が盛り込まれている。台枠の片側にはパワーパックを収めるための大きな開口部が見られるが，これは通常時とは逆側からとなる，イベント出展時の運転に備えたものとなっている。

　本体の交換駅は片側のホームがレイアウトの台枠ギリギリのところに位置しているので，その向こう側へと情景が拡がるように作ったのがこの拡張ブロックA。長手方向の寸法は本体に合わせた1200㎜に，奥行は150㎜にしてあります。

地 表 の 工 作

　写真1は台枠の準備を始めた段階で，本体に接続するほうの枠板は言うまでもなくそちらの地形に合わせてカットしています。奥に見えるコードは収納するパワーパックへと結ぶ本体からのものです。

　台枠ができたら**写真2**のようにスタイロフォームを詰め込み，**写真3**のようにカッターナイフで削って地形を作ります。**写真4**は道路橋から続く道路とその周辺で，このブロックの中でもメインとなるシーナリィ。ここは木々に囲まれた風景にして，雑木林の中をくぐり抜けるような雰囲気のものになります。

　芯材の表面に木工用ボンドを薄く塗布したら，次に紙粘土を盛り付けていきます。最初に触れたように私は**写真5**に示したダイソーの「軽いねんど黒（以下，紙粘土）」を使い，指先に水をつけて均すように薄く延

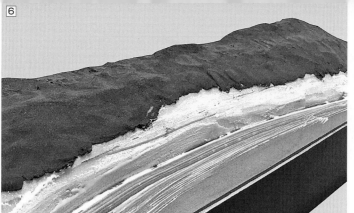

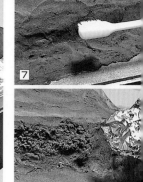

ばしていきました。この作業が済んだ状態を**写真6**に示しました。

崖の部分は地層らしくするために，紙粘土を厚めに盛ってありますが，水で均さずに**写真7**のように古歯ブラシを押し当てるようにしてザラザラとした地表を表現。歯ブラシをさまざまな方向から当てるようにすると自然な仕上がりになってきます。

また，**写真8**のようにクシャクシャに丸めたアルミホイルを押し当てて，崖らしく見せる方法もあります。

写真9は崖部分の塗装を済ませ，それ以外のところは均した紙粘土を乾燥させた状態。崖部分の塗装は茶色(陸上自衛隊)をベースに，他の色をドライブラシするなどして着色し

ています。また，このタイミングで，ホームとの繋ぎ目にグリーンマックスの石垣Bを取付。これは接着前に黒サーフェイサー→サーフェイサー→ミディアムグレイ(本塗装)の順に

塗装して，ダークアイアンでウェザリングをしておきました。ホーム側から見ると天然石を積んだ土止めのような表現となり，継ぎ目が目立たなくなるといった効果もあります。

↑本体の横に拡張ブロックAを，奥にCをセットした様子。共に背後が高くなった地形なので，背景画との自然なつながりも期待できる

●今回製作の3台の中でも特に幅が狭いのがこの拡張ブロックA。レイアウト本体の駅の横に展開する地形がほとんどを占めるが，片側には拡張ブロックBへと続くシーナリィ表現も見られる。このほか，このブロックだけの装備だが，展示運転の際にコントロール側となる背面にはパワーパックを収納。本体に収めている自動運転システムの装置からのコードがそこに結ばれる。

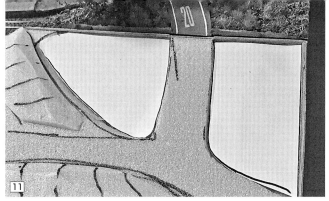

型紙を用意しておき，これを重ねておいて1mm厚のプラ板をカット。このプラ板は先に両面粘着テープを使って#600耐水ペーパーを貼っておいたもので，ほかの拡張ブロックの道路でも同じ工作を行なっています。

この状態が**写真13**で，モスマットを仮に置いて道路との位置関係などをチェックしている段階なのはご覧のとおり。道路はライトグレイをベースに塗装を行なってから，ダークアイアンなどでウェザリングを施して白線を入れてあります。

ガードレールはKATOの製品を使用し，道路の端に当てながらピンバイスであけた孔に差し込んで接着。「止まれ」の表記がある赤い舗装路は調色した赤を耐水ペーパーに塗装してあり，白いラインはこばる製のインレタを使用し

木漏れ日が差す道路

ホームと接続する個所の下準備が済んだら，線路を渡る道路橋から手前に続くエリアの作業に移ります。道路の両側の雑草地帯の表現には**写真10**に掲げたセリアの「ナチュラルモスマット グリーン（以下，モスマット）」を使用。これを貼付ける部分は芯材の工作段階に道路面より5mmほど低くしておきました。**写真11**はモスマットを切り出すために型紙を作っている様子で，カット後のモスマットは裏側のスポンジを剥ぎ取ってできるだけ薄くしておきます。

▍道路と横の雑草エリア

道路の工作に当っても**写真12**のように，芯材に合わせて切り出した

て表現しておきました。

　このあたりの工作が進む様子を**写真14, 15**に示しましたが，両者で「止まれ」の表記が異なっているのに気づかれたでしょうか。当初は一方通行用の前者にしていたのですが，ほとんど自動車が通らないような道路ということもあり，工作が途中段階まで進んでから両側通行用の後者へと変更することにしました。

　ここまでできたら木工用ボンドを使ってモスマットを接着。道路との境い目にはダイソーの「装飾グリーンモス（以下，グリーンモス）」をミルサーで細かくしたもので埋めています。このグリーンモスは植栽ディスプレーなどに使われる，**写真16, 17**のような着色した乾燥苔ですが，色合いや質感が気に入って本体の製作でも雑草などに多用。そのままでは粗い感じですが，**写真18**のようにミルサーで細かくしたり，さらにフ

ルイにかけたりしてサイズを調整すると，安価で恰好の素材を大量に入手できることになります。

砂利敷きの駐車場

　次はT字路の近くにある砂利敷きの駐車場の工作です。ここも塗り付けた紙粘土を水で均しますが，乾く前に会津バラスト（S）を撒き，軽く紙粘土へと押し付けて**写真19**のようにザラザラとした感じを表現。色の濃い部分にはラバーブラックを塗

り，乾燥したら数回に分けて仕上がりを確認しながら，好みの色をふわりとのせるような感じに塗装します。私はこの時の塗料に茶色（陸上自衛隊）を選びましたが，それ以外にもグレイ系など，好みの色をエアーブラシで塗っていきます。

　また，この駐車場には変化を求めて水溜りを作ってみました。粘土部分の凹みにKATOのリアリスティックウォーターを少量たらし，均して乾いたらまた…と，同じ作業を繰り返します。その後，地表には細かくしたグリーンモス，フォーリッジなど，単調にならないようにいろいろな雑草の素材を接着。奥のほうにはガードパイプを立てておきました。

　T字路の曲がり角のあたりには**写真20**のように駅への案内看板や自作品のカーブミラーなどを配置してあり，この作業が済んだところで，**写真21**のようにたくさんの樹木を植えてこのエリアをカバー。ローアングルからの眺めに限られますが，表現したかった雑木林の木漏れ日の中を続いている小道の様子が楽しめます。

写真22はこの駐車場から眺めたレイアウト本体の駅の様子で，なかなか良い雰囲気になったと思われますがいかがでしょうか。

前述のガードパイプは新しい道路に並んだ姿から田舎道の脇に埋もれた姿まで，似合うシチュエーションが多いアクセサリーです。今回の製作分だけでなく，ほかのモジュールにも設置できるように，短時間で量産できる方法を考えてみました。

使ったのは写真23に示したMAXのホチキス針No.3（針肩幅11.5mm，針足10mm）とφ0.5洋白線。この針は角部分がきれいに曲がっており，ガードパイプにちょうど良い材料と言えます。この針をデザインナイフなどで1本ずつに切り離し，針の内側寸法にカットしたφ0.5線をはめておいてハンダ付け。この際には地中に埋設する分を計算して位置決めをすることが必要です。

必要数が揃ったら写真24のようにスチレンボード上に立て，塗装の食い付きを良くするためにメタルプ

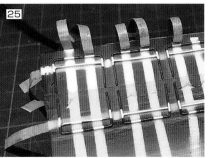

ライマーを筆塗り。その乾燥を待って白いサーフェーサーを吹付けますが，塗膜が厚くなり過ぎないように薄吹きを心掛けると良いでしょう。

次の赤色塗装の際には塗り分けパターンに注意しながら，2.5mmから3mm幅にカットしたテープでマスキング。テープを細い線材に巻き付けるのには手間がかかるので，スチレンボードにガードパイプを寝かせて，片面づつ塗装をします。テープをガードパイプにしっかりと密着させておくことで，きれいな塗り分けとなるのは言うまでもありません。

片面の塗装が乾いたら裏返して反対面の塗装をしますが，この時にはマスキングしていたテープをもう1回利用することができます。写真25のようにテープを途中まで剥がして取り出したガードパイプを，裏返しにして同じ位置にセット。テープを押さえ付ければそのまま次のマスキングができたことになります。

これでガードパイプは完成。紅白塗装なので写真26のように恰好のアクセントとなり，設置場所によっては錆などのウェザリングを施したりして，より情景に溶け込むものにしたくなってきます。

駅の横の景色

　次に対向式ホームの空地エリアの草地を作ります。崖となる部分以外をハガキ2枚分くらいの大きさに区切り，平筆を使って木工用ボンドを塗布。ボンドを塗り終えたら，細かくしたグリーンモスを満遍なく撒き，その上から千切りにした緑色と明緑色のフォーリッジを混ぜて押し当てて接着しました。接着状態が不足に感じた場合には少量のゴム系接着剤を使って補うのが良いでしょう。

　このほか，ファインリーフフォーリッジの塊や細かくなったものなど，いろいろな素材を組合わせるのも良さそう。単調にならないように仕上げるのがポイントと言えます。以上の工作状態が**写真27，28**です。

　また，この拡張ブロックAの端の部分には，拡張ブロックBの砂防ダムに続く流れを表現することにしました。自然なつながりにするためには両者の工作をいっしょに行なうほうが良く，関連する本体のコーナー部分も含めて，このあたりだけは地形作りから同時に作業。その内容や完成状態は拡張ブロックBのほうにまとめることにしました。

　写真29は完成した拡張ブロックAを本体の横にセットしてみた様子です。今までは想像するだけだった世界が具象化されることで，鉄道自体のイメージは大きく拡がり，列車を運転する楽しさがさらに増してくるのは間違いなさそうです。**写真30**は駅のほうから眺めた接続状態で，駅の横を道路橋の高さまで持ち上げることで，地形のつながりが自然な感じになったことがわかります。

31

32

オランダドライフラワーの樹木

　今回のシーナリィ製作では樹木の表現もいくつかの方法によっていますが，特に自立した樹木についてはオランダドライフラワーを使って1本ずつ作ったものを植えています。**写真31**は拡張ブロックAの駅のあたりの様子ですが，同様の樹木はほかの拡張ブロック，そしてレイアウト本体にもたくさん植えてあるので，ここでは先にその工作内容についてまとめておくことにします。

　使用するオランダドライフラワー（以下，ドライフラワー）は模型店やネットショップで購入することができますが，私はさかつうギャラリーで**写真32**の「スーパーツリー」という商品名のものを購入。**写真33**は何本かを取り出した様子ですが，この時には種子がパラパラと落ちるので，ここからの作業は写真に示したようにトレーなどの上で行ないます。

　このドライフラワーは自然物なので，大きさや形，枝ぶりなどは千差万別です。**写真34**のようにそのまま1本の木として使えるもののほかに，使いにくくても複数のドライフラワーを組合わせると形態が向上するもの，

大きな樹木に使えなくても，低木や背の高い雑草，道路や川に迫り出している大きな枝といったものに都合が良いものなど，1軍から2軍，3軍，4軍といったようなグループにまで分類。これらを植える場所に応じて使い分けることになってきます。

　また，**写真35**のようにヒゲ状の葉が残っている場合があり，これは塗装後に目立つもの。手間がかかる作業ですが，ていねいにピンセットを使って取り除いておきます。

　写真36，37に示したのは複数のドライフラワーで1本の樹木を作っている様子です。メインとなる幹を決めて，樹木の形に見えるように瞬間接着剤を使ってドライフラワーを追加。この作業によって形がずいぶんかわることがわかります。**写真38**にもこうして作ったいくらか形態が異なる樹木の例を示しました。

　こうして1軍と言える樹木ができたら次は塗装で，私が幹の色として使用しているのはアサヒペンのカラースプレーNo.29ディープオリーブ。もちろんこの作業の際にはドライフ

33

35

34

36

37

30

↑オランダドライフラワー＋コースターフの樹木が集まる拡張ブロックAの端のあたり。1本ずつの製作になるので手間はかかるが、完成状態はこのとおりリアルなものとなり、特に近景の場合は大きな効果が発揮されることがわかる。

ラワーを持つ手に、軍手や使い捨てのゴム手袋を装着しておかなくてはなりません。地中に差し込む部分を割箸やスチールクリップなどで挟み、そちら側から幹をまわしながら塗装。最後に樹木のてっぺんのほうから塗装をします。**写真39**にこの塗装作業の様子を示しました。

塗装が済んだら次はスプレー糊の吹付で、私は紙や布など、軽いものに適しているという3Mの「スプレーのり77」を使用しています。吹付に当っては樹木のサイズに合った複数のカップを用意しておき、**写真40**の

ようにセット。丸く切った紙に幹部分を差しておくと、その下側まで糊が付着することがなくなります。

次は葉となるコースターフの撒布で、私はこの作業に麦茶や粉物を保存するプラ容器など、内部の様子が見えるものを使用。その中にコースターフをたっぷり入れておき、枝部分を下にしたドライフラワーを**写真41**のように差し込みます。これでスプレー糊の付いている部分にコースターフが付くのですが、取り出す時にはターフの飛び散りに注意が必要で、付着しなかった余分なコースターフは振り払ったり、吹き飛ばしたりしておきます。

このように葉の素材としてはコースターフを多用していますが、ここ

でワンポイントアドバイス。常緑樹や針葉樹として作る場合には、芝生の達人用の達人芝を使用すると実感的に仕上がってくれます。

コースターフがある程度定着したら、木工用ボンドの水溶液を作り、霧吹きで吹いて完全に固着。缶スプレーの艶消トップコートを吹付けて固着させるようなこともできます。これでドライフラワーの幹にコースターフの葉を付けた1本立ちの樹木は完成。この状態を**写真42**に掲げましたが、この時点にターフの色合いが強いように感じたらさらに塗装することも可能。エアーブラシを使ってアクリル塗料のバフやダークイエローをふんわりと塗装すると、より自然な色合いになってきます。

拡張ブロックBのシーナリィ

●ボリュームがある山岳風景の中に展開するのは，緩くカーブして延びる県道や，その反対側にある砂防ダムからの流れ。路面の赤い減速帯が印象的な県道の奥には内壁の照明まであるトンネルが設けられ，手前側にはレイアウト本体の小道へと続く砂利道も表現されている。砂防ダムのほうは県道側とイメージ的にも切り離された風景で，流れ落ちる水の音が聞こえてくるような世界が展開。この先の川の様子を展開できるように，レイアウト本体のほうも一部の改修が行なわれている。

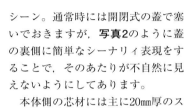

シーン。通常時には開閉式の蓋で塞いでおきますが，**写真2**のように蓋の裏側に簡単なシーナリィ表現をすることで，そのあたりが不自然に見えないようにしてあります。

本体側の芯材には主に20mm厚のスタイロフォームを使っており，特に下側のものにはほかの工作で余った端材を使用。**写真3**に示したのは芯材の工作を始めた段階で，このような作りかたでも隙間は上側に重ねるスタイロフォームで覆われてしまいます。軽量化にはほとんど関係ないことですが，材料の節約のために，そして余剰品を減らすためには効果

拡張ブロックBは本体の右側に接続するもので，台枠は幅が300mm，奥行が910mmというサイズです。奥のほうの景色は前述のとおり当初に予定していた貯水池から沢や砂防ダムに変更しており，手前のほうにはトンネルを出て緩やかにカーブする県道を配置。その脇から線路側へと下る砂利敷きの細い道は，小さな川を渡ってその先まで延びるように，本体との連絡関係を持たせています。

地表の工作

台枠は最初に記したように角棒の骨組に合板を張って組立ててあり，

本体側となるものはその地形に合わせて，外側となるものはイメージする高さの稜線状にカットしました。

なお，外側となる板には奥に丸穴をあけてあり，そこから駅方向を眺めることができるようにしておきました。ここにカメラのレンズを差し込み，駅や周辺の様子を撮影することが目的で，最初に掲げた**写真1**はシーナリィの完成後にそこから撮影した列車の着発

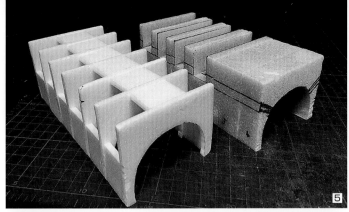

5

6

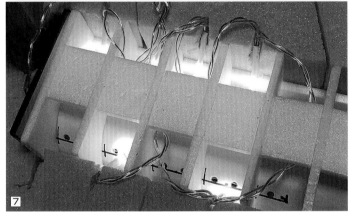

7

8

的ということができるでしょう。

写真4はさらにスタイロフォームを重ねた状態で，県道の坂道になるものはカーブに沿って切断。この表面は良く切れるカッターナイフを使って，カーブ内側が少し低くなるようにカントをつけながら削いでいきます。急な坂道にならないようにじっくり確認しながら工作を進めることも大切なように思われました。

芯材の工作がある程度進んだら，仮組みをして本体の地形と違和感なく続いているかもチェックします。県道の左側，本体側に作る小さな川のあたりは，先に芯材にフェルトペンで加工状態を描くなど，イメージ確認をしてからカットしています。

県道のトンネル

スタイロフォームを使った全体の芯材ができたら，次に県道とその奥にあるトンネルの工作に移ります。

先に作ったのはトンネルのほうで，製作しておいたモックアップと地形の間隔を正確に測って取付位置などを確認します。このトンネルはもちろん行き止まり構造なのですが，奥

に鏡を組込んでおくと，反対側の出口まで見えることになり，その取付はこの時点に済ませておきます。

トンネルの骨格は5mm厚のスチレンボードで製作。これが**写真5**の左側で，右側にはモックアップを並べておきました。このトンネルには外側に遮光用のボール紙を，内側にはプラペーパーを接着。内壁についてはサーフェイサーを吹付けただけでも充分に雰囲気が出せると考え，本塗装は省いています。

トンネルポータルは1mm厚のプラ板から切り出して塗装。その順序は，サーフェーサーの吹付→セメントパテの塗布（表面の凹凸感の表現）→スポンジヤスリで表面を均す→ミディアムグレイに塗装→0.1～0.3mmの隙間をあけながらマスキングテープを貼る→ダークアイアンに塗装…といったもの。このダークアイアンはコンクリートの汚れに似た色合いなので好んで使っています。

マスキングテープを貼っているのは，コンクリート打ちの型枠の跡を表現するためで，トンネルポータル

の下段側からテープを1枚剥がし，継ぎ目付近をそのままダークアイアンでウェザリング。次のマスキングテープを剥がしてウェザリング…という作業を繰り返すことで，型枠の跡の表現とウェザリングが同時にできることになります。

トンネル内の照明は100円ショップで入手した電池式のLED照明（インテリア用）を使用しました。ネット検索でトンネル内部の照明の光りかたを調べて，トンネルの内壁に照明用の穴をあけてあり，外からはほとんどわかりませんが，そこにトミックスのワイドレール用の柵を加工した枠を付けています。

写真6，7には設置場所に仮にセットして点灯時の様子を確認している段階を，**写真8**にはトンネルポータルの取付が済んで，いよいよ周辺のシーナリィ工作の準備段階に移った状態を示しておきました。

35

●拡張ブロックBのシーナリィで際立つのは樹木が占める範囲が広いこと。地表を見せない特有の工作法によって，うっそうとした森林風景を作り出している。メインテーマとしているのは言うまでもなく県道と砂防ダムからの流れだが，取り囲む背の高い樹木が両者をイメージ的に分断。レイアウト本体との接続後にはそれぞれが別の世界となり，低いアングルから両者を同時に見ることはなくなる。

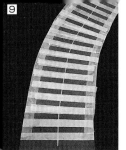

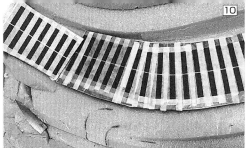

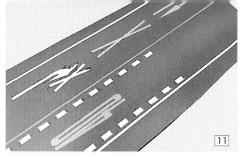

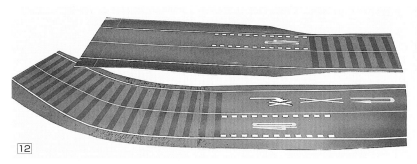

県道とその表情

■県道

　路面は地形に合わせて起こした型紙を当てて切り出した1mm厚のプラ板で，両面粘着テープで#600の耐水ペーパーを貼ってアスファルト舗装された様子を表現。塗装にはレイアウト全体の統一感を出すために，レイアウト本体のほうでも使用しているライトグレイを使っています。

　減速帯は帯状に切り出したテープを，**写真9，10**のように1枚ずつ貼ってマスキングしてから，フラットレッドとハルレッドなど，赤茶系塗料を調色して吹付塗装してあります。

　センターラインなどはカッティングシートを1mm幅程度に細切りをしたものを貼っていますが，カーブ区間にかかる個所では，経年によってたわみや浮きが生じやすいもの。先にアクアリンカーなど，粘度の低い接着剤を塗布しておくと浮きを抑える効果があるようです。**写真11**に示したのはこばる製のものを使った速度表示類の様子で，これで道路面がずっと賑やかになってきました。

　こうしてでき上がった県道の様子が**写真12**ですが，設置する前に道路と歩道の境い目にあるコンクリート製の縁石を追加しています。実例を見たことがある等間隔に設置されたものに…と手持ちのパーツを物色した結果，意外なことにトミックスの

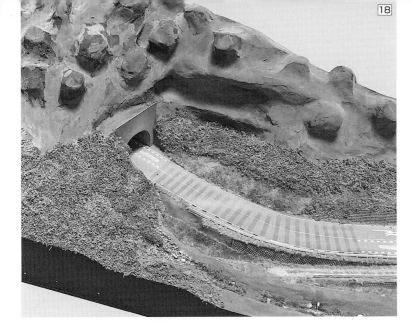

壁らしさを強調。排水穴としてピンバイスでφ1孔を等間隔にあけるディテールアップは，石垣面工作の標準仕様にしています。

この石積み部分には下地となる黒のサーフェイサーに続き，軽くグレイのサーフェイサーを吹くことで立体感を強調しました。この表面にはミディアムグレイをエアーブラシで吹付けておき，濃緑色や焦茶色，ダークアイアンを薄く，さらにウェザリングとしてふんわりとフラットホワイトを吹き重ね。水垢や塵汚れの上に白い粉がふいたような，コンクリート特有の感じを出しました。

写真18は県道を所定の場所に取付けて横に雑草を生やし，次の砂利道の工作が進行する段階です。背後は不自然に凸凹とした崖状の地表になっていますが，これは葉の材料を接着して密集した樹木を表現するベースになるもの。この工作については後述する拡張ブロックCのほうにまとめることにしました。

ワイドレール用側壁の下側に出たツメの部分が，台形の形状で，かつスケール的にもちょうど良いことを発見。ひとつずつ切り取ってコンクリート製らしく塗装を施してから，道路際に接着した様子が**写真13**，仮にセットして地形との関連をチェックしている様子が**写真14**です。

この県道に沿った3ヵ所の擁壁は**写真15，16**のように石積みにしてあり，下側の細長い三角形のものには石垣Aと称する素材を使用しました。ただ，ここは面積が広いので「貼っただけ感」を抑えるために，**写真17**のように2mmプラ角棒で周囲にコンクリート枠を追加して，高規格の擁

↑レイアウト本体のほうから眺めた拡張ブロックB。県道から下ってきた砂利道は小さな川を渡って線路沿いの既設道路へと結ばれている

砂利道とその表情

■砂利道

　次は県道のカーブの手前から脇へと下る砂利道の製作です。まず道路に合わせてスタイロフォームを切り出し，県道とのバランスを見ながら道幅と斜度を決めていきます。実際に自動車を置いて道幅や轍の幅を決めるようにすると，雰囲気が掴みやすいのでお勧めです。

　この側面下側部分も石積みにしてあり，こちらにはグリーンマックスの石垣Cと称する素材を使用しています。この上にKATOのガードレールをはめ込む孔をあけた0.5mm厚のプラ板を接着。塗装については前述の県道の石積み部分とかわらず，こちらは雑草に埋もれるのでディテール工作は省略してしまいました。

　砂利道部分は木工用ボンドを薄く塗った芯材の上に紙粘土を塗布。指先に軽く水を付けて均し，それが乾く前に轍となる部分に会津バラスト（S）を撒いて押し付けますが，雑草を生やす中央部分にはバラストを撒かないようにします。乾燥したら砂利道感を出すためにさらにバラストを載せるように撒き，木工用ボンド水溶液をスポイトで流して固着。その時にできてしまった凹みにはバラストを補充しておきます。

　乾燥したらエアーブラシでスカイグレイなど，明るめのグレイを塗りますが，この時にはバラストが飛ばないように優しく作業することが必要です。この後は雑草を生やす作業で，今回は砂利道の中央部に雑草が生えている表現をするために，轍の外側（小川側）はガードレールの真下から生えるように接着。轍の中央部や石積み部には**写真19**に示したミニネイチャーの717-21「小さな草むら」を使用しており，ピンセットでていねいに1株ごとつまんでゴム系接着剤で固定しておきました。

　この砂利道が完成した時の表情は**写真20，21**をご覧ください。

小川と小さなコンクリート橋

このあたりの地形も，スタイロフォームで整形して木工用ボンドを薄く塗り，紙粘土を塗布して水をつけた指先で均す…という，ほかのところと同じ手法で製作。草や樹木にも本体や他の拡張ブロックと同様に，グリーンモスやモスマット，フォーリッジ・オランダドライフラワーといったものを使用しています。

小川の部分は底を苔や水草の色合いに塗装してリアリスティックウォーターを流し込みます。硬化後には小川で見かける水面や水際から顔を出す植物を表現。この様子を**写真22，23**に示しました。また，この小川の途中にはアクセントをつけるために**写真24，25**のような小さな排水路を製作。プラパイプにカーブさせたテグスを差し込み，ジェルメディウムの水しぶきを加えたものです。覗き込まないと見えない極く小さなアクセサリーといったところです。

写真26のコンクリート橋は重量制限が1トン程度で，これは昔からあったものと想定しています。プラ板とプラ棒を接着してからサーフェイサーを吹付け，表面にベーシックパテを薄く塗り付けて長年の風雨にさらされた様子を表現。ミディアムグレイを塗ってからダークアイアンで水垢に汚れた様子を出してみましたが，小さなものなので軽めのウェザリングに抑えてあります。

砂防ダムとその周辺

前にも触れたように貯水池にする予定だったエリアは砂防ダムと沢に予定を変更。絶対に作りたい情景以外は臨機応変に仕様をかえて，まわりの景色によりマッチしたものにすることも重要…と考えて製作を進めました。先に**写真27**のようなラフスケッチを描いてイメージを固めてからの製作を開始しており，川の流れや岸の張り出し具合などをチエックしながらスタイロフォームを削り出しました。

写真28は関連部分の元のシーナリィを削り取った本体と共に，拡張ブロックAとBの地形を形成している様子ですが，実際の砂防ダムのロケハンは簡単ではないので，ネット上の各種画像を検索。それらの中から自分の好みや設置部分のサイズに合うものを参考にしました。

この時は地形の芯材となるスタイロフォームを大まかに成形しておき，高いところは接着をしないで低いところからから作業を進行。製作途中で地形に矛盾を感じた時にも修正しやすい作業内容にしています。**写真29**は紙粘土を盛り付け，川底から岸の部分に小石類を撒き始めた様子で，川の流れをイメージして左右の表情に差をつけておきます。

30

31

32

■砂防ダムや手前の沢部分

　このあたりは紙粘土を厚めに盛り，乾く前に崖の部分に丸めたアルミホイルを押し当てて地表を表現。この時には古歯ブラシの場合と同様にアルミホイルを時々持ちかえて押し当てると良く，これで同じパターンが連続する不自然さを防ぐことができます。会津バラスト（S）やモーリンの小石は紙粘土に押し当てて埋め込み，それらより大きい天然石はゴム系接着剤で接着しておきます。

　また，台枠のほうにあけてある撮影用の丸穴にはこの時点に開閉式の

33

34

35

36

蓋を取付。そのシーナリィ側となる面には紙粘土を塗り付け，沢のあたりの地形の中に自然に溶け込む準備工作をしておきました。

　次は塗装で，岩肌の自然な色合いを出すために，崖の部分にはフラットホワイトとフラットブラックをドライブラシふうに軽く筆塗り。乾燥したらスカイグレイなど，グレイ系塗料をエアーブラシで吹付けますが，下地の色合いが残るように塗装するのが良く，さらに沢の岩肌と石には濃緑色をドライブラシで着色します。また，泥などが沈殿している雰囲気を出すために，エアーブラシで茶色（陸上自衛隊）を塗っておきました。

　このあたりの崖や川底の工作が進む様子が**写真30〜32**，そして塗装や雑草の工作などが進む様子が**写真33〜35**。不足ぎみと感じたダムより下側の部分にはこの段階に小石類を足し，紫外線硬化レジンを流し込んで固着させています。

　ダムそのものは5mm厚のリアラボードから切り出してあり，**写真36**のようにベーシックパテを直塗り。ベーシックパテを塗った跡がコンクリートの型枠の跡に見えるように一方向に塗り付け，乾燥後にサンドペーパーをかけて表面を仕上げると，竣工から長い月日を経たコンクリートの表面らしさが表現できます。

県道と共に拡張ブロックBのテーマとなった砂防ダムがある風景。うっそうとした樹木の中から姿を見せた流れは，ここから拡張ブロックAへと渡っていく。→

■砂防ダムからの流れ

　取付が済んだダムには，濡れている部分にエアーブラシでラバーブラックを，水の流れていない部分には少量のアクアリンカーを塗ってから，細かく砕いたグリーンモスとモスパウダーをパラパラと接着。写真37がこの姿で，この段階に苔が生えたような感じに仕上げておきます。これが済んだら，ダムの手前部分にリアリスティックウォーターを流して水が溜まった様子を表現。その硬化を待って，いよいよダムから流れ落ちる水の工作へと移ります。

　ここには滝のような勢いのある流れを表現したいので，それを形作る芯材としてテグスを使用してみました。これは流れ落ちる水が描く曲線をイメージして，ちょうど良い長さにカットしたものを写真38のように接着。少したわませながら，瞬間接着剤を使って1本ずつ固定していった様子が写真39です。

　続いてこのテグスの上に，紫外線ライトを当てながら，ダムの上段側からUVレジンを流し込みます。その硬化後には落下する水をイメージしながらジェルメディウムを盛り，さらに上流の沢の部分にもジェルメディウムを盛っておきます。水面の波しぶきはフラットホワイトをドライブラシする表現にしましたが，実物の印象よりいくらかオーバーぎみに施すことが効果的。写真40，41にこの工作途中を示しました。

　ここまでの工作が済んだら，ダムの手前の岩肌には苔が生えた様子を，沢には流木が引っ掛かった様子を表現。流木に使ったのは100円ショップで購入したクリスマス用ディスプレイの小枝で，それらしくゴム系接着剤で固定しておきました。

　砂防ダム周辺の工作が済んだら，流れを覆うようにたくさんのオランダドライフラワーの樹木を植え，うっそうとした山深い場所らしさを強調。ダムから流れ落ちる水の音だけが周囲に響き渡る世界を演出できた

のでは…と思います。

　以上のように，砂防ダムやその前後の沢や川は拡張ブロックBの中に作ってありますが，その先の流れはさらに延び，本体のコーナー部分をかすめるような感じで拡張ブロックAへと続きます。

　ラフスケッチを見て検討しながら，拡張ブロックBより川幅を少し拡げるように曲げていき，川の内側には河原も表現。川の外側に向けてなだらかに下るように紙粘土を盛り付けていきますが，指先に水をつけて成形したり，それが乾く前に会津バラスト（S）や小石を散りばめる…といった地表の工作内容はほかのところとかわりません。このあたりまで工作が進んだ拡張ブロックAの様子を**写真42**に示しておきました。

　写真43は川が拡張ブロックBからAへと渡る部分で，ここにはわずかな落差となった滝を表現。リアリスティックウォーターを流した水面には，ジェルメディウムを使って白波がかなり立った様子も表現してみました。**写真44**は2台の拡張ブロック

を密着させた状態で，滝を作るいちばんの目的だった流れの切れ目のカムフラージュも，まずまずといったところではないでしょうか。

↑拡張ブロックAとB，そしてレイアウト本体が組合わさるところ。自然なつながりを求めて本体はコーナー部分の地形を改修しており，追加塗装，雑草や樹木を植える工作などについては，両方の拡張ブロックとの同時作業を行なっている。

●対岸を走ってきた旧道との合流個所や廃道部分，さらに交互通行個所まで組込んだ国道と，途中にある堰によって手前と奥で水面の高さに差がある川，そしてそれらを見下ろすように聳える急峻な崖。製作した3台の中でも特に起伏に富んだ拡張ブロックで，310㎜という幅に対して高さは450㎜にも及んでいる。崖の表面を埋め尽くす樹木の表現方法は独特のもので，下地用として極端な凹凸状にした地表面に樹木材料を直接接着。崖から川のほうにせり出す様子は，水面のリアルな表現と相まってなかなか魅力的である。

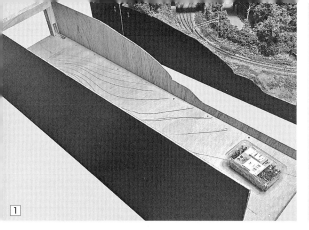

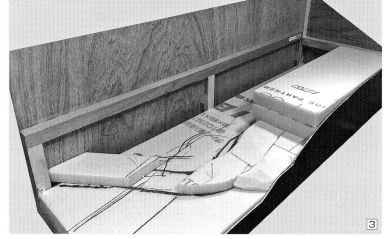

手前で分岐する廃道といったものを製作してみたくなりました。

地形は本体に合わせて，全体的に奥側から手前側へと低くなるように決めて作業に入ります。台枠は**写真1，2**のように拡張ブロックBと似たもので，聳え立つ崖を作るために背面板を立てるあたりはしっかりと補強。これにスタイロフォームを**写真3**のように詰め込んでいきます。

ただ，310mmという幅の中に，本体から続く右側の地形を自然な感じに収めつつ，不自然さのない道路や擁壁，川へと通じる崖と水面の用地を確保し，さらに対岸の聳え立つ崖にたくさんの樹木を…となると，バ

拡張ブロックCは本体の左側に接続するもので，台枠のサイズは幅が310mm，奥行が910mmです。当初は近年に販売された建売り住宅地にする予定でしたが，ほかの情景にもなじ

むように山深い景色へと変更。聳え立つ崖のすぐ下を流れる川，その途中にある魚道や水門が付いた堰，国道（新道）とそれに合流する旧道，交互通行となっているトンネル，その

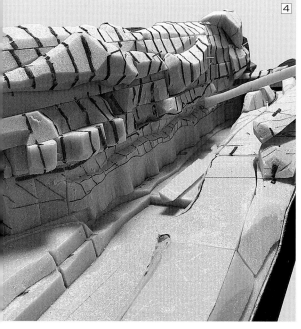

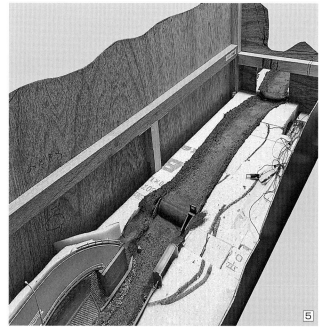

ランス配分はかなり難しいように思えました。そのために今回は聳え立つ崖の部分，道路や擁壁部分，川の水面など，いくつかの景色に分けて工作を進行。途中のバランスチェックや修正といったことにも対応できるように，それぞれは着脱可能にしてあります。**写真4，5**の例からもおわかりいただけるように，別途に製作した部分を仮置きして関連工作を行ない，それをいったんはずして別の工作を…といった手順で作業をしたところも少なくありません。

聳え立つ崖部分

先ずはこの拡張ブロックの印象を左右する，左側の聳え立つ崖部分の割合を決めることにしました。実際の河川を観察すると，山間部の岩盤の飛び出ている個所などに川幅が細くなっているところがあり，水面に近い個所の岩肌には長い年月の間に削り取られたり，えぐられたりしているものも見かけます。その雰囲気を出すために，崖の上部は樹木の生い茂る様子にスタイロフォームを積み上げて，斜面からせり出す感じを

強調することにしました。

崖側のベースとなるスタイロフォームがある程度でき上がったら，バランス面を考えて川部分，そして対岸の道路部分などのスタイロフォームを整形していきます。ただ，設計図のようなものがあるわけではないので，すべて1cm程度の余裕を持たせたサイズにしてあり，定規などは使わない，フリーハンドで地形の凹凸を決めていきます。

■崖部分の樹木の表現

聳え立つ崖部分は**写真6**のように芯材を大まかに整形して，その表面に2〜3cm角のダイス状にカットしたスタイロフォームブロックを取付けます。斜面から転がり落ちないように爪楊枝で刺して接着すると良く，その上からはさらに木工用ボンドを満遍なく塗布。固着後に角の部分も削ぎ落して多面体にしている工作途中の様子が**写真7，8**です。

この表面には紙粘土を塗り付けていくので一般的な地表工作のように思えますが，実際には樹木の材料を

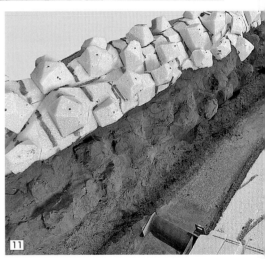

接着するベースになるもの。これは本体のほうでも多用している工作法で，密集した樹木に覆われて完成後に見えなくなってしまいます。

また，このタイミングで川の横の崖（地層）を表現しておきます。**写真9，10**のように，厚めに盛った紙粘土に軽く丸めたアルミホイルを押し当てますが，やはりランダムに押し当てて規則性がない表面にすることがリアルに見せるポイント。この工作が済んだ状態が**写真11**です。

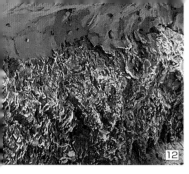

これが乾いたら凹部に筆塗りで黒色の塗料を塗り、凸部に白色をドライブラシ。さらにダークイエローなど、好みの色をランダムに筆塗りします。地表に粘土の地色、黒、白、ダークイエローの4色が揃ったところで、岩肌としてミディアムグレイをエアーブラシ塗装しますが、下地の色合いがいくらか残るように塗るのがリアルに見せるためのポイント。その乾燥後に、さらに好みの色をドライブラシすることでより岩肌感が増してくるようです。**写真12、13**にこの作業途中を示しました。

次にダイス状のスタイロフォームを付けたままになっている崖部分の表面に紙粘土を塗布。これによって**写真14**のように凸凹とした奇岩状の、あるいは金平糖を想わせるような不思議な地表になってきます。

樹木の葉としてこの表面に貼り付けていくのはフォーリッジクラスターで、もちろん好みの色合いのものを選ぶことになりますが、私は深緑色、緑色、明緑色の3色を使用。実物の自然林や山間部の写真を参考にしながら、ゴム系の透明接着剤で隙間ができないように貼り付けていきます。**写真15、16**のように先に接着剤を塗り拡げ、**写真17、18**のようにフォーリッジクラスターを次々と接着。紙粘土を盛った地表には凹凸ができているので、クラスターを薄くちぎって接着するだけでも自然な枝ぶりの様子が表現されます。

このほか、川側へ迫り出している部分には、バランスを見ながらファインリーフフォーリッジを取付けることもありますが、この素材は扱っている際に折れることもあるので、実際の接着はレイアウトの完成間際にするほうが良いでしょう。**写真19**は完成状態に近づいた崖部分の様子で、これまでの奇岩状態が信じられないような、樹木が密集して生える景色にかわってきました。

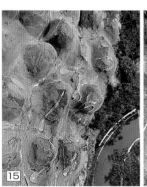

レイアウト本体の横に拡張ブロックCをセットした様子。このブロックで印象的なのは、国道と川に沿って聳え立った崖、そしてそこに茂るたくさんの樹木ということになる。樹木は表面のものを除いて地表に葉の素材を直接貼り付ける表現だが、仕上がり状態はご覧のとおり。山岳レイアウトの建設を考えるファンには参考にしていただきたい工作法と言えよう。↓

川 の 表 現

先ずは資料集めです。私はオートバイでツーリングに行くことも趣味なので，気に入った景色に出会った時にはそれを撮影しておいたり，走行ルートの画像を保存したりもしています。もちろん製作に当っては，これらの写真に加えてネット上の河川の画像の中から自分のイメージに近いものを探し出したりもします。

手頃な画像を見つけたら次は「ジオラマのサイズに落とし込む」作業で，いろいろな角度から確認しながら，フェルトペンで描いて川幅や河原部分などを表示。この時には川の途中に作る堰のあたりの寸法確認もしながら作業を行なっています。

■川底部分と堰

川底部分は平らに敷いたスタイロフォームの上に木工用ボンドを薄く塗り，紙粘土をできるだけ平らに塗

布。平らにすることでリアリスティックウォーターを流し込む時の偏りを防ぎます。この工作の様子が**写真20，21**で，ここまで済んだところで先に堰を製作。仮置きして川底や岸辺の工作内容を決めていきます。

魚道と水門が付いた堰は，川の大きさに合ったものを製作しています。底面と手前側は**写真22**のように1mm厚のプラ板を組合わせたもので，これに天面部分として0.5mm厚程度のプラ板を1/4円を描くように取付けました。水門部分は**写真23**のように2mmプラ角棒を枠状に組立ててあり，水止め板上下ハンドルにはコンテナ車のブレーキハンドルを，そこに昇るハシゴには旧型客車の妻面用を…と，車輌用のパーツも利用しています。

なお，この水止め板の上下ハンドル，当初は水門部分の上側に付いたタイプにしていましたが，後になって横に付いたタイプへと変更。塗装後

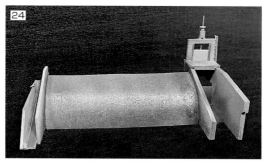

を示した**写真24**，設置後を示した**写真25**ではまだ上側に付いていますが，シーナリィの工作途中にハンドルをはずし，作業が進んだ段階に横に付けることにしました。

　堰ができたところで川底部分の工作に戻ります。堰の下流側の水深は3mm程度のイメージで，流れ落ちた水流が落ち着き始める場所あたりから先にストーン調スプレーを吹付。塗装を行ない，それが乾く前にバラストを撒いたり，河原に見えるように石を置いたりしました。

　一方，堰の上流側は深さを出すように川幅を決め，水が流れていないところには紙粘土を盛ります。こちらも粘土が乾く前に川の流れをイメージ（流れの内側に砂利や石が溜まりやすい）して，岩の表現となる大きめの石のほか，バラストや小石といったものを撒いておきます。

　解説では後の作業としてまとめることにした，岸辺の植物，石積み部分や道路部分が姿を見せる場合もあり，**写真26〜31**にこのあたりの作業

状態を示しました。この後には実物写真などを参考に川底の色をイメージしながら塗装。流れのあるところにはベージュ系〜（茶色）陸上自衛隊などを調合した色合いにしてあり，流れの遅いところには上流側からグラデーションをつけるように深緑色を塗装しておきました。

■水面の表現

　水の素材はいろいろ考えられますが，今回の拡張ブロックではKATOのリアリスティックウォーターを使用。数回に分けて流し込みましたが，硬化には考えている以上の時間が掛かるので，その先の工作にはゆとりを持ったスケジュールを組みます。

　先に端の部分や途中の流れ出しそうな個所に漏れ対策として養生テープなどを貼り，1回目の注入では染込み具合や漏れ具合などをチェック。この時点に流れ出そうな個所を見つけたら，UVレジンを使って堰き止めを作っておきます。

　硬化したら2回目の流し込みで，

ここからは硬化時点に水面を塗装。クリアーグリーンとスモークを混ぜ，色合いのバランスを見ながらエアーブラシで少しずつ塗っていきます。流れが遅い深い部分にいくにつれて透明度を下げ，緑色に濁らせるというイメージですが，一気に塗装しないで様子を見ながら作業を進めることも大切。乾いたら3回目の流し込みを…という手順を重ねて川の色ら

しく仕上げていきます。

写真32，33はリアリスティックウォーターの流し込み回数による差を比較した様子で，後者のように何層も重なることで，水面の表情が出てくるように思えます。川が目標の水位に達したら次は水面の仕上げで，メディウムを筆塗りした後にフラットホワイトをドライブラシ塗装。水面に表情が出てきた様子を写真34

～37に示しておきました。

次は先に取付けておいた堰から水が流れ落ちる様子を表現します。ここについてはUVレジンを使う工作が一般的のようにも思えますが，ふとひらめいたのが食品のパッケージに使われている薄くて透明なプラ板の利用。手頃なサイズにカットしてから写真38のようにデザインナイフで細かく切込みを入れ，水が弾け

飛ぶような表現を施してみました。

　写真39は透明なゴム系接着剤を使って堰に取付けた様子，写真40は表面や周辺にメディウムを筆塗りして水しぶきを表現した様子です。メディウムは硬化すると痩せるので，限度はあるようですが，多めに塗り付けておくのが良さそう。流れ落ちる水の音が感じられれば成功で，イメージどおりの河川の表情が出せたと思っています。

■岸辺の植物

　山間部の川岸は増水時に水嵩が増すので樹木などが生えにくく，堰の近くには一年草が拡がる様子を表現してみました。資料やネット検索でイメージに近い実景を探し，写真41〜43の順に工作をしています。

　下草には濃緑色のフォーリッジを使っており，透明なゴム系接着剤でふんわり感を出すように接着。ススキふうの草の正体は，ハロウィンシーズンに100円ショップで購入した写真44の竹箒の飾り物で，写真45のように穂先部を緑色に塗ってカットしたものを植え込んでみました。いくらかオーバースケールぎみですが，写真46のように釣り人の侵入を拒むような茂みの雰囲気を出せたのではないかと思っています。

↑コンクリート製橋台の両脇部分は天然石積みに，その下流部分はブロック積みにするなど，護岸工事の時期の差を表現した国道の擁壁

川の擁壁と道路橋

　製作順序が場所によって前後していますが，次は川に関連する擁壁，及び旧道から国道（新道）に渡る道路橋の工作です。堰の道路側は切り立った崖になっているので，津川洋行のデザインプラスチックペーパーの

擁壁を崖の形にカットして接着。サーフェイサーを吹付けてから，バランスを見ながらランダムにフラットホワイトを塗って，さらに雨が垂れた跡のウェザリングを施しました。

■旧道からの道路橋

　擁壁は堰より下流にもありますが，その先の作りやすさからこの時点に

道路橋と橋桁の製作を済ませておきます。橋台部分は1mm厚のプラ板がベースで写真47のように組立。下地として写真48のようにタミヤのベーシックパテを塗り付けますが，この時にはチューブの口の部分を直接当ててフラットな感じに塗り，余分なパテは爪楊枝などで取り除きま

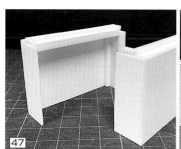

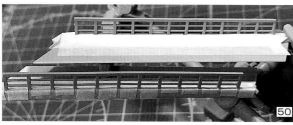

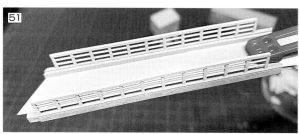

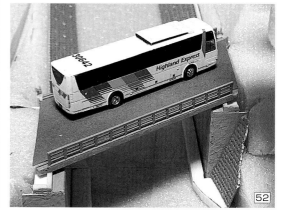

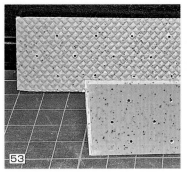

す。また，桁下のコンクリート製の渡り部分はリアラボードを使って表現。この渡り部分があることで立体感が増し，川との境い目の表現がよりしっかりしたものになります。

ミディアムグレイを塗ってから，コンクリートの型枠の跡の表現として0.05mm程度の隙間をあけてマスキングテープを貼り，タミヤのダークアイアンを吹付。マスキングテープを剥がして，水垢の表現として桁の角の部分にダークアイアンを吹付けます。このあたりの工作については拡張ブロックBのトンネルポータルのほうも参照してください。ご覧のように少し先の姿ですが，塗装が済んだ様子を**写真49**に示しました。

道路橋は取りはずしができるように，裏側に極小ネオジム磁石を付け，橋台側の見えない個所にはマグネットシートを貼り付けます。路面はプラ板から切り出したもので，ほかの道路と同様に表面に耐水ペーパーを貼付け，プラ角棒の欄干やトミックスのワイドレール用側壁から切り取

った手スリを取付けました。**写真50，51**がこの工作途中で，橋台上にセットしてみた様子が**写真52**です。少し先になりますが，繋ぎ目の表現として薄いプラ板を貼り，そこにシルバーやカッパーなどを色入れして金属感を表現。「止まれ」の表示には拡張ブロックAの道路と同様にこばる製のものを使いました。

▋堰より下流の擁壁

ジオコレ，津川洋行，グリーンマックスなどの石垣を使うことが一般的ですが，そのままでは全体が均一な面になってしまいます。やはり実景写真を眺めて，できれば肉眼でじっくりと観察するなど，一手間掛けてリアルに仕上げたいもの。模型なので実景通りに作ることより，リアルに見えることが重要と考えます。

橋台の脇には時代を感じさせる天然石の石積みを使い，その下流にはブロックタイプの石積みを使用しました。これは川を渡らない新道の建設時に護岸工事も施工された…という背景をプラスし，情景に時代の流れを織り込んでみたものです。

ブロックタイプの擁壁には**写真53**のように，排水口として等間隔に

φ1孔をあけてあり，補強部分として2mmのプラ角棒を取付けました。また，天然石部分は本塗装の前に，**写真54**のように一部の石をフラットホワイトやフラットブラックに筆塗り。このような手間を掛けることで自然情景に負けない力強さが出たように思えます。ここにはサーフェイサーを吹付けてからミディアムグレイを塗ってあり，ダークアイアンを使用してウェザリング。その仕上がり具合は**写真55**をご覧ください。

国道（新道）とその周辺

次はトンネルから出て緩いS字状の坂を下り，川沿いを手前のほうに走ってくる国道の工作。この拡張ブロックのメインになるシーンと言えるかも知れません。この国道は前述の工作のように道路橋のところで旧道と合流していますが，こちらが新道であることを印象づけるために，カーブ区間の途中には廃道になった旧道の様子も演出しています。

▋本道とその途中にある廃道

道路は**写真56，57**のように本道と廃道の工作をほぼ同時進行させています。メインとなるのはもちろん国

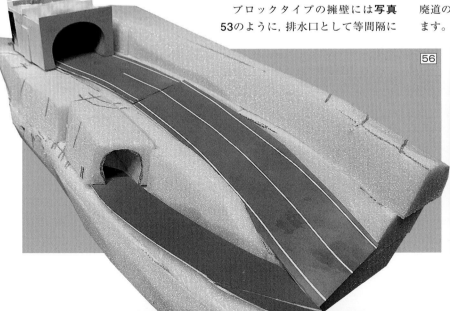

58

道のほうになりますが，道路面などの使用材料や工作内容は拡張ブロックBの県道と基本的に同じ。その作業を手前から奥のほうに進めているのは**写真58**のとおりです。国道のトンネルや途中の擁壁，周辺に配した小物類については後述することにして，先に廃道の工作について解説

しておくことにします。

　この廃道の先は隧道にしており，そのトンネルポータルは**写真59**のように製作。この時にはご覧のように本道用のものも同時に製作しており，その工作や塗装の内容，マスキングテープを使ったコンクリート打ちの型枠跡の表現方法などは，拡張ブロックBのものとかわりません。

　道路面はほかと同様にプラ板にサンドペーパーを貼っていますが，こ

こでは#320程度の粗めのものを使用。ちぎれない程度に優しく何回か丸めたものを拡げて接着してみました。これによって経年劣化で路面にできたヒビ割れが表現されることになり，割れ目の部分にはスミ入れをしてそれを強調しておきました。この効果は**写真60**をご覧ください。

　坂道に沿って設置したガードレールはKATOのものですが，経年の雪の重みで，あるいは倒木が当るな

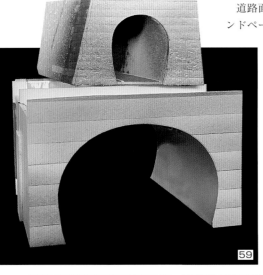

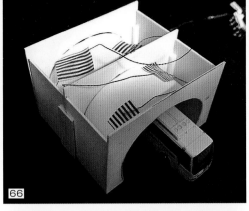
66

67

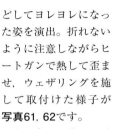

68

69

どしてヨレヨレになった姿を演出。折れないように注意しながらヒートガンで熱して歪ませ，ウェザリングを施して取付けた様子が**写真61，62**です。

　トンネルの入口にはキャスコの工事用フェンスのネット部分をくり抜いた進入防止柵を設置し，近くには自作のカーブミラーも設置。このカーブミラーはもちろん使われていないものなので，かなり汚しておきました。さらに，フォーリッジを使った下草でアスファルト面を覆い，対岸でも使用している背の高い草や枝なども植えてみました。

　写真63，64はこのあたりが完成に近づいてきた状態で，どこかで見たことがあるような場面に仕上がったのではないかと思っています。

■国道のトンネルとコンクリート壁

　廃道が分岐した先の本道には，**写真65**のようにトンネルがあります。工作内容は拡張ブロックBのものとかわりなく，こちらも奥には鏡を設置。**写真66**はトンネルの骨格部分で，内部の照明にはマイクラフトの極小LED（5連）を使い，実物の照明位置に参考に配置しておきました。

　また，こちらのトンネルでは，山間部のトンネルにありがちな濡れた路面の表現をしてみました。**写真67**のように少し濡れたところにはクリアー塗料を，大きく濡れたところにはリアリスティックウォーターを…と，差をつけた表現にしてあり，**写真68**のように自

動車が通った後のタイヤ痕も表現。照明を点灯した際には**写真69**のように濡れた路面が鈍く光って，山間部の道路らしさが演出されます。

　トンネルポータルの上部には，**写真70**のような落石防止フェンスを設置しておきました。これはトミックスのワイドレール用側壁の格子状パーツを使った枠に，H形プラ形材を組合わせた**写真71**のようなもの。網は菱形に見える方向にカットした＃40のステンレスメッシュです。

65

71

70

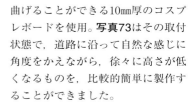

曲げることができる10mm厚のコスプレボードを使用。**写真73**はその取付状態で，道路に沿って自然な感じに角度をかえながら，徐々に高さが低くなるものを，比較的簡単に製作することができました。

　写真74はサーフェイサーを吹付けてから表面にベーシックパテを塗り付け，コンクリート壁特有の凹凸感を表現した様子。排水用の穴をあけてミディアムグレイに塗装し，トンネルポータルと同じ方法でコンクリートの型枠の跡を表現しておきま

　組立が済んだら，メッシュの網目が埋まらないよう軽くサーフェイサーを吹付け，グレイ系に塗装してから表面の錆などをウェザリングしておきました。この落石防止フェンスは，先に工作しておいた内壁に沿う配線類と共に，トンネル入口の印象向上に効果的のように思えます。

　次に製作したのは，トンネルの出口から国道の左側に続く，ガッチリとしたコンクリート製の擁壁。これはカーブを描きながら勾配を下るような形態なので，厚手のプラ板を材料にするとけっこう難しい工作になりそうです。いろいろと材料を検討した結果，**写真72**に示した柔軟に

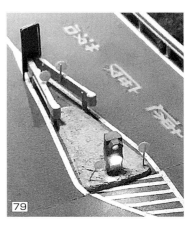

した。**写真75**はその上部に落石防止用フェンスを取付けた後の様子で，これはトンネルポータル上部のものと同様の方法で製作。**写真76**にこのあたりの完成状態を示しました。

■そのほかの小パーツ

アクセサリー類は必要に応じて配置していますが，最初に用意することになったのは国道のトンネル関係のもの。製作前に確認していたはずですが，でき上がったトンネルポータルは入口が小さめで，大型車が安全に対面通行できないような断面のものになってしまいました。

作り直す時間もなかったので，予定をかえて交互通行のトンネルに変更。このようなトンネルについてネット検索をしたところ，全国にはけっこう実例があることもわかり，そ

の画像を参考にしながら信号機と標識，道路の停止線などを追加することにしました。**写真77, 78**の看板はネット上の画像類を縮小コピーして作ったもので，洋白線で作った骨組に貼り付けて作ったものです。

このほか，新道と旧道の交差点付近にはいくつかの交通標識や反射板などを設置してあります。中央分離帯には**写真79**のように自作のブリンカーライトを設置してあり，これは実物どおり上下のライトが交互に点滅。電飾にはマイクラフトのLEDと点滅回路を使っています。

また，この交差点の先の新道には高さ制限の鉄骨ゲートも設置してあります。これはKATOの道路アクセサリーキット2に含まれたもので，再塗装を行なってから同様にマイクラフトのLEDと点滅回路の電飾を追加。こちらにもウェザリングも施しておきました。この設置状態が**写真80**で，**写真81**には街路灯と共に点灯したシーンをご覧に入れておきます。

このほか，全体的な夜景のバランスを考えて，対岸の旧道のカーブ部分に4連の橙色ライトが流れるように点滅する誘導灯を設置。ガード

レールの4ヵ所にLEDを取付けた様子を**写真82**に，静止画像ではわかりにくいのですが，点灯状態を**写真83**に示しておきました。

街路灯はKATOのもので，塗装前にマイクラフトのLEDを取付。照明部分のモールドを切り取ってから瞬間接着剤でLEDを付けました。この加工の際にはそれぞれの設置場所を先に決めておいて，できるだけ配線が見えにくい位置に接着。当然ながら塗装の際にはLED部分をマスキングしておくことも必要です。

なお，この街路灯は当然ながら配線の引きまわしに関連。それを地形の中に隠す目的もあって，実際に固定するタイミングをスタイロフォームの接着時に揃えています。

↑拡張ブロックの設置で大きく拡がった世界を列車がゆったりと走行。眺めるポジションによっては本体上と拡張ブロック上の樹木が重なり，

通常の街路灯に加えて，中央分離帯のブリンカーライト，旧道合流点の誘導灯，トンネル入口
の交互通行用信号機など，さまざまな照明装置が組込まれた拡張ブロックCの国道周辺。照明
装置の本格設置は地形の工作と同時進行させており，配線類はほとんどが地中に隠されている。

実際以上に深い奥行が感じられる

おわりに

　最初に記したように本書は3台の拡張ブロックを例に，さまざまなシーナリィ工作について解説したものです。それぞれには異なるテーマを盛り込み，表現方法やその強弱に差をつけたものもありますが，基本的に目指したのは典型的な日本のローカル風景。いつかどこかで見たことがあるような景色の模型化は，どのようなレイアウトの製作にも参考にしていただけるのではないでしょうか。工作内容の説明についてはわかりやすさを優先したつもりで，使用素材についても模型店以外で購入したものについては，実用的に〜という思いから購入したものの商品名をそのまま表記することにしました。

　工作途中写真は本書への掲載用に私がスナップしてきたものですが，グラフページに掲げた完成状態の写真については，所属クラブ「激団サンポール」のメンバーであり，プロカメラマンでもある佐々木龍氏に撮影を依頼。氏の協力を得て，拡張ブロックを加えて展開する「星ノ森鉄道 比美津線」の全貌を皆様にお伝えできたのでは〜と考えています。

現在はこの7号が発売中となっています

発行・SHIN企画／発売・機芸出版社

(本書発行時点の在庫で, その後に品切れになっている場合があります)

Nゲージ ファイン マニュアル 1
車輌基地のストラクチャー

定価 1980円（本体1800円＋税10%）

レイアウトの電車基地や機関車基地をリアルに仕立てるために, 構内の主要設備である交検庫や仕業庫といった検修庫とその内部, 機械式洗浄機や洗浄作業台, パンタグラフ点検台, 通電開閉器, 給油装置などの工作方法を, 多くの説明イラストを交えて徹底解説。密着取材した実物についての解説や数多い参考写真も見逃せません。

Nゲージ ファイン マニュアル 7
ストラクチャーテクニック［木造建物］

定価 1980円（本体1800円＋税10%）

駅や車輌基地に欲しい木造建物を, 市販素材を使って自作する方法をまとめました。作例は駅舎, 待合室, 便所, ホーム上屋, 線路班詰所, 詰所や倉庫, 農業倉庫, 信号所, 検修庫などさまざま。豊富な写真やイラストによる工作手順の詳しい解説, 参考用の実例写真を数多く集めた内容で, レイアウトを製作中, そして製作を考えているファンにぜひご覧いただきたい1冊です。

Nゲージ ファイン マニュアル 8
イラストで見るレイアウトの製作

定価 1980円（本体1800円＋税10%）

レイアウト製作のさまざまな工程を, すべてイラストで解説。主な内容は台枠の構成と組立, 線路の敷設, ポイントとその転換, 鉄橋とトンネル, 各種シーナリィ素材, 山と地表, 川と池, 塗装, 草と樹木, 線路関連のストラクチャーなどいろいろ。表現方法や工作方法などについて, 今まであまり紹介されることがなかったアイディアやヒントもできるだけ多く含めています。

Nゲージ ファイン マニュアル 9
市販ストラクチャーの各種改造

定価 1980円（本体1800円＋税10%）

短時間の作業で印象がかわる工作, 製品化されていないものに仕立てる工作, 余剰パーツ類が活用できる工作, 複数の製品を組合わせる工作, レイアウトサイズや設置場所に合わせて大きさや形態を変更する工作などを集めました。ベースの製品についてはもちろん, 使用素材や工具類にも特殊なものは使っていないので, すぐにでも取り掛かっていただける工作テーマばかりです。

Nゲージ ファイン マニュアル 10
模型化したい鉄道風景の実例

定価 1980円（本体1800円＋税10%）

レイアウトの製作にも欠かせないのが車輌工作の場合と同レベルの実物観察。多くの実例を知ればデフォルメやアレンジの結果にも影響することになり, より自然で, そしてレイアウトに似合うものになってくるはずです。本書には蒸気機関車が走っていた時代から現代に到るまでの, 模型的に興味深いと思われる写真を多数掲載し, 解説も模型ファンの視点で行なっています。

Nゲージ ファイン マニュアル 11
レイアウトの留置線とその実例

定価 1980円（本体1800円＋税10%）

エンドレスひとまわりの本線＋駅といった小型レイアウトでも, 留置線を設けることで次々と別の列車の運転を楽しむことができます。本書ではさまざまな実例と併せて, レイアウトに組込みやすく機能的な留置線, そして作例に沿って線路の配置や留置線ならではの敷設方法, 関連設備の工作について詳しく解説しています。

Nゲージ ファイン マニュアル 12
ストラクチャーのアイディア工作

定価 1980円（本体1800円＋税10%）

使いやすいシーナリィ素材と共に, 近年に充実してきたのがストラクチャー類です。本シリーズでは今までテーマに分けた各種工作を紹介してきましたが, 今号にランダムに集めてみたのは, 変化に富んだ展開が期待できるさまざまな工作。くふう次第でさらなる発展を期待できるものも多く, 手近な材料を使う簡単な工作がレイアウトをより楽しいものにしてくれるように思えます。

発売中のほかの書籍については
https://shin-kikaku.jimdofree.com/
をご覧ください

Nゲージファインマニュアル 13　　　2024年5月10日発行　　　ISBN978-4-916183-50-7

リアルシーナリィの工作　著者：大久保友則

編集／発行者・橋本　真©
発行所・SHIN企画　〒201-0005 東京都狛江市岩戸南1-1-1-406

発売所・ 株式会社 機 芸 出 版 社　〒157-0072 東京都世田谷区祖師谷1-15-11　　TEL 03 (3482) 6016